Raconte-moi une histoire

Table des matières

Il était une fois 4

La tradition orale 6

Homère 10

L'art de raconter 12

Façonne ton histoire 14

L'Histoire... des histoires 16

L'histoire d'une conteuse 18

Merveilleuses comptines 22

Les contes de fées 26

Le prince du conte 28

Glossaire 30

Index 31

Parlons-en ! 32

À découvrir...

Connais-tu la différence entre un mythe et une légende ? Pour le vérifier, lis la page 5.

Découvre les conteuses et les conteurs en argile, à la page 12. Ensuite, pour fabriquer ta propre figurine, suis les consignes de **Façonne ton histoire**, à la page 14.

Lis une interview : **L'histoire d'une conteuse**, à la page 18.

Sais-tu quel auteur a écrit 156 contes de fées ? Découvre cet écrivain célèbre dans **Le prince du conte**, à la page 28.

Visite le site www.dlcmcgrawhill.ca/enquete

pour en savoir plus sur les HISTOIRES.

Il était une fois

Les gens se racontent des histoires depuis la nuit des temps. Bien avant l'invention de l'imprimerie, des livres ou même de l'écriture, les gens se racontaient des contes, des mythes, des légendes et des **fables.** Certaines de ces histoires étaient inventées pour les enfants, mais d'autres étaient destinées aux adultes.

Les histoires n'ont pas toutes le même but. Une histoire peut amuser, ou livrer un message ou une morale. Certaines histoires sont très, très vieilles et peuplées d'ancêtres. D'autres sont comme un présage de l'avenir.

Depuis très longtemps, les jeunes Autochtones apprennent l'histoire et les traditions de leur peuple à travers des mythes et des légendes racontés par les adultes.

Un mythe est une histoire ancienne qui explique l'origine et la raison d'être de certaines choses. Les mythes sont souvent remplis de personnages imaginaires, de dieux et de déesses !

Dans une légende, l'histoire repose parfois sur un fait réel ou une personne qui a vraiment existé.

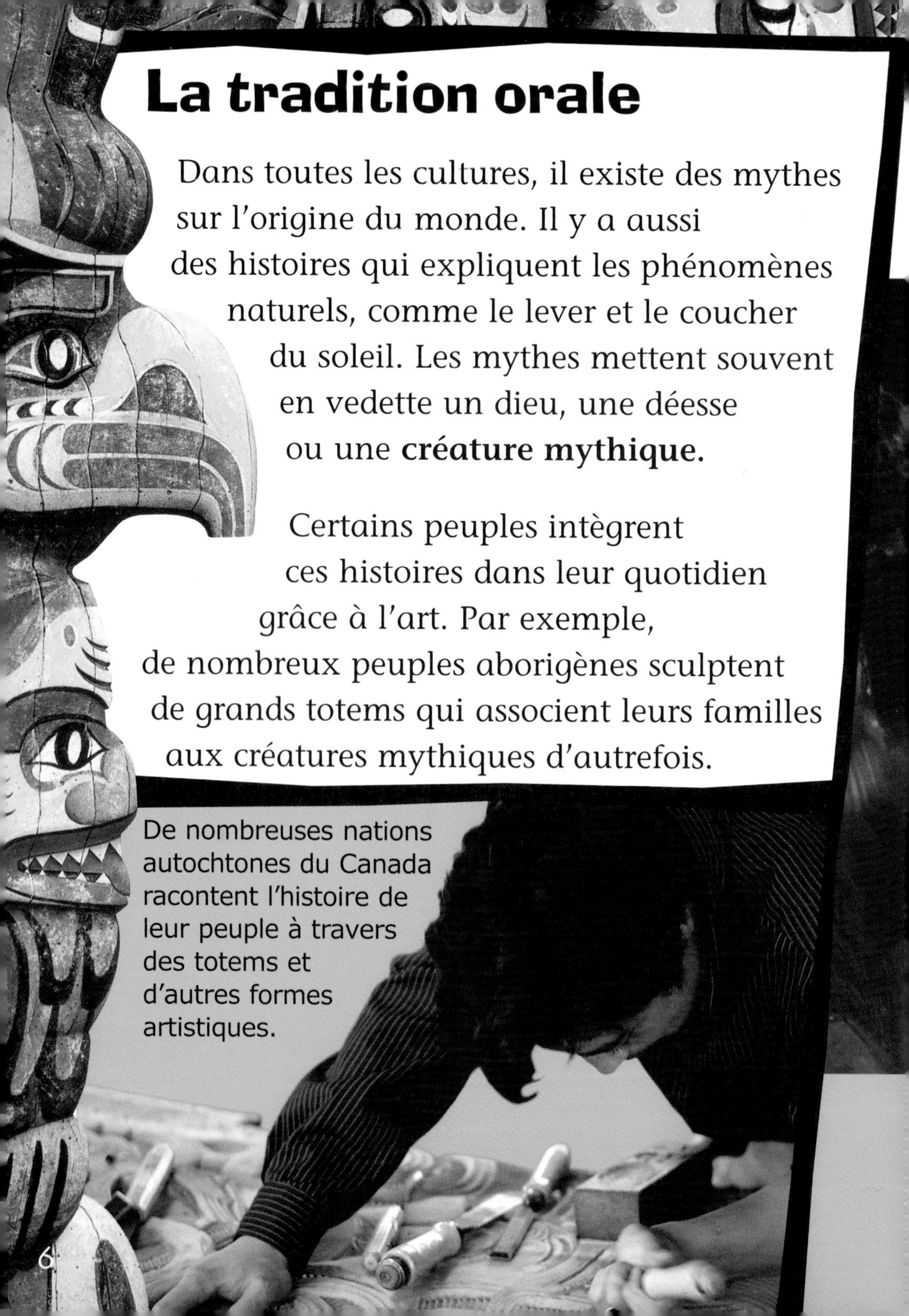

La tradition orale

Dans toutes les cultures, il existe des mythes sur l'origine du monde. Il y a aussi des histoires qui expliquent les phénomènes naturels, comme le lever et le coucher du soleil. Les mythes mettent souvent en vedette un dieu, une déesse ou une **créature mythique**.

Certains peuples intègrent ces histoires dans leur quotidien grâce à l'art. Par exemple, de nombreux peuples aborigènes sculptent de grands totems qui associent leurs familles aux créatures mythiques d'autrefois.

De nombreuses nations autochtones du Canada racontent l'histoire de leur peuple à travers des totems et d'autres formes artistiques.

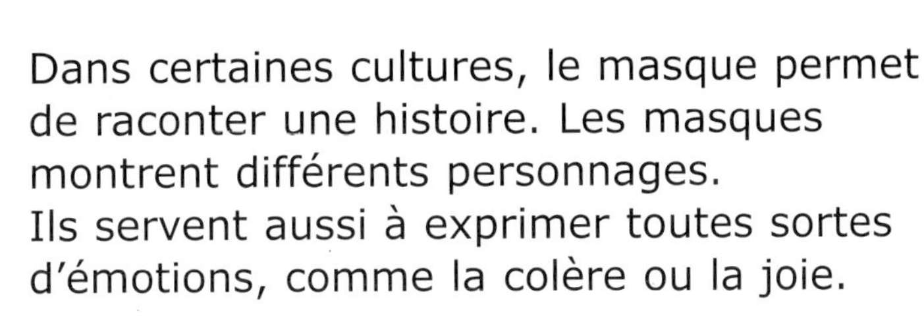

Dans certaines cultures, le masque permet de raconter une histoire. Les masques montrent différents personnages.
Ils servent aussi à exprimer toutes sortes d'émotions, comme la colère ou la joie.

Ces aborigènes d'Australie mettent en scène un mythe sur la création du monde. En jouant et en racontant les mythes et les traditions de leur peuple, ils transmettent et préservent leur culture et leur histoire.

Comme beaucoup de cultures, celle de l'Égypte antique s'est transmise de bouche à oreille, de génération en génération. Grâce à cette tradition orale, des histoires ont traversé les siècles sans avoir été écrites une seule fois.

Dans la Grèce antique, les gens croyaient que les dieux et les déesses vivaient au sommet de l'Olympe. Ils racontaient donc des histoires à leur sujet, et leur prêtaient des émotions et des traits humains. Les gens croyaient que les dieux et les déesses pouvaient influencer la nature et l'avenir.

Dans la culture chinoise, le mythe de la création du monde met en vedette Pan Gu. L'histoire raconte que Pan Gu a créé le Soleil, la Lune et les étoiles, puis les a lancés dans l'espace.

Selon la mythologie grecque, Zeus était le roi des dieux. Il grondait comme le tonnerre et lançait des éclairs quand il était en colère.

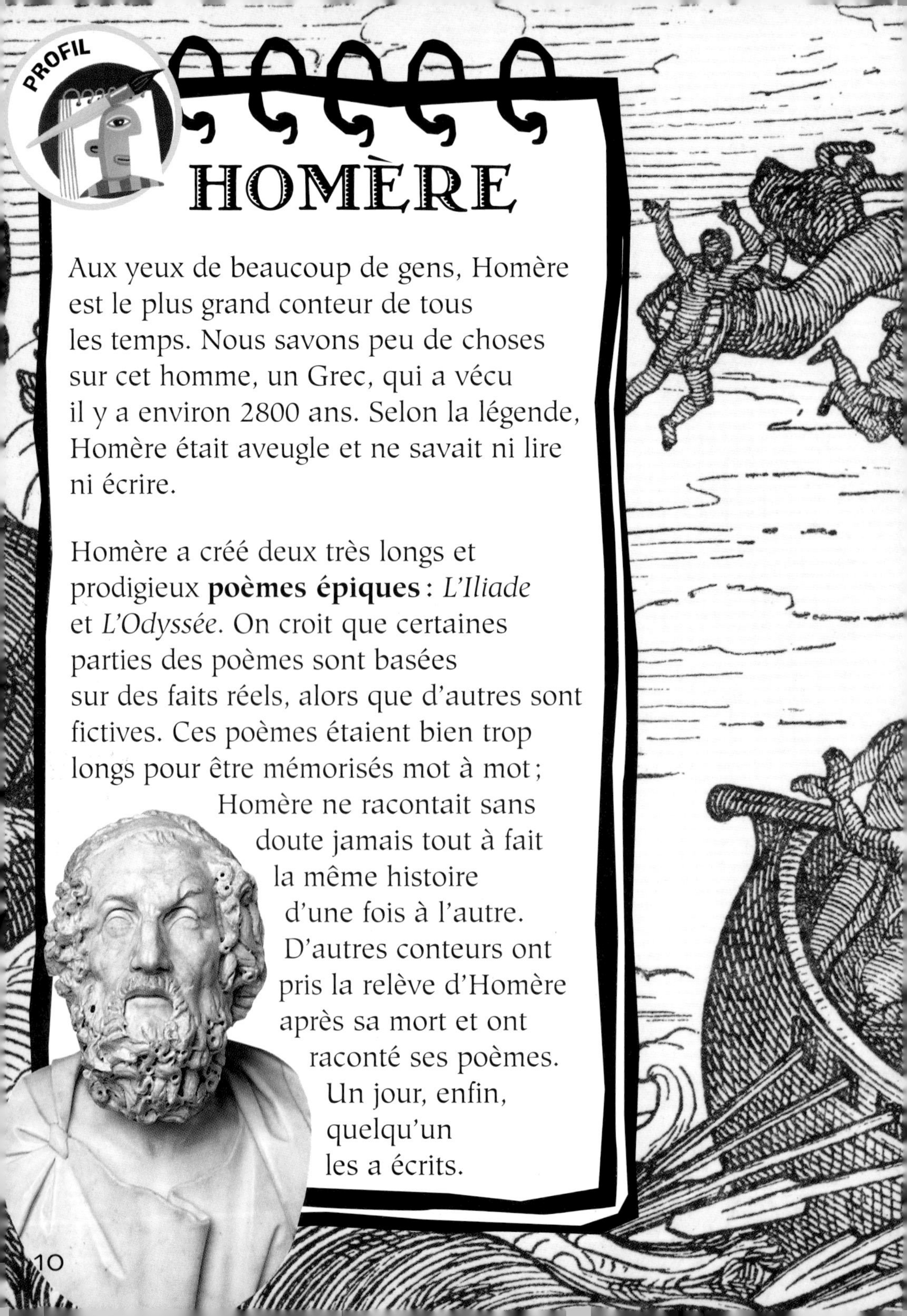

HOMÈRE

Aux yeux de beaucoup de gens, Homère est le plus grand conteur de tous les temps. Nous savons peu de choses sur cet homme, un Grec, qui a vécu il y a environ 2800 ans. Selon la légende, Homère était aveugle et ne savait ni lire ni écrire.

Homère a créé deux très longs et prodigieux **poèmes épiques** : *L'Iliade* et *L'Odyssée*. On croit que certaines parties des poèmes sont basées sur des faits réels, alors que d'autres sont fictives. Ces poèmes étaient bien trop longs pour être mémorisés mot à mot ; Homère ne racontait sans doute jamais tout à fait la même histoire d'une fois à l'autre. D'autres conteurs ont pris la relève d'Homère après sa mort et ont raconté ses poèmes. Un jour, enfin, quelqu'un les a écrits.

Le personnage principal
de *L'Odyssée* est Ulysse,
un homme qui part en
voyage pendant 10 ans.
Sa route croise celle
d'un monstre à six têtes.

L'art de raconter

Depuis très longtemps, des peuples aborigènes créent des figurines d'argile qui représentent une conteuse ou un conteur, animal ou humain. Ces personnages de conteurs sont souvent représentés avec des enfants ou de jeunes animaux sur leurs genoux.

Parfois, la figurine est décorée de motifs particuliers qui racontent une histoire. Les auteurs de ces figurines ont transmis leurs modèles à leurs enfants, comme on transmet une histoire.

Les conteuses et les conteurs sont souvent des animaux. Dans de nombreuses histoires, les animaux apprennent une leçon. Ensuite, ils deviennent conteurs à leur tour et transmettent leur histoire à leurs petits.

Très souvent, les figurines portent un tambour. Le tambour marque le rythme de l’histoire.

À TOI DE JOUER !

Façonne ton histoire

Tu peux fabriquer une figurine qui te rappellera ton histoire préférée. Utilise de l'argile ou de la pâte à sel.

Pâte à sel

Il te faut :

- 2 tasses de farine
- 1 tasse de sel
- 1 tasse d'eau

1. Mélange la farine, le sel et l'eau.
2. Pétris la pâte et fais-en une boule.
3. Ajoute de la farine ou de l'eau, au besoin.
4. Façonne ta figurine.
5. Laisse sécher ton œuvre dans un endroit chaud, ou fais-la cuire à 175 °C, 45 à 50 minutes.

1 Choisis un modèle de figurine de conteuse ou de conteur. Façonne le corps. Ajoute une tête.

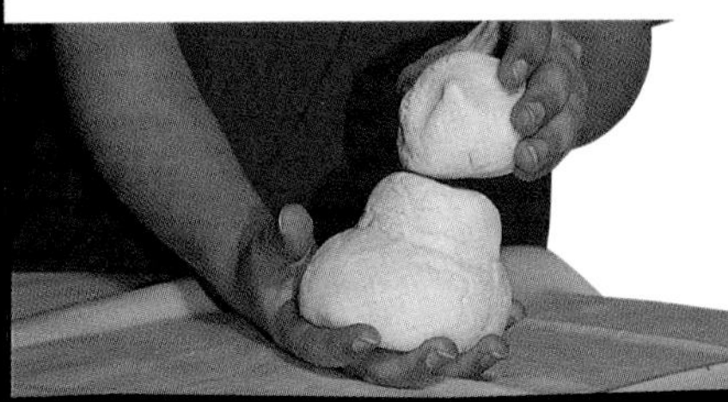

2 Façonne les membres et fixe-les au corps.

3 Façonne des corps plus petits pour les bébés.

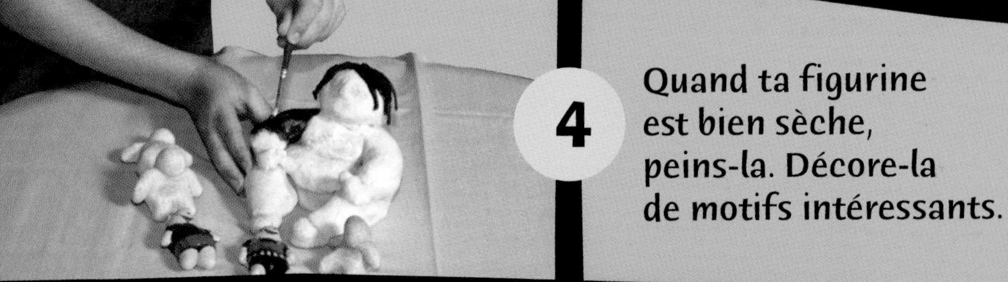

4 Quand ta figurine est bien sèche, peins-la. Décore-la de motifs intéressants.

5 Colle les bébés sur la figurine. Maintenant, montre ta conteuse ou ton conteur à tes camarades, et raconte-leur ton histoire.

L'Histoire... des histoires

Dans la plupart des cultures, les personnes qui transmettent les histoires, les légendes et les contes sont traitées avec respect. Autrefois, dans le nord de l'Europe, un conteur, appelé « scalde », accompagnait toujours le roi sur les champs de bataille. Au retour, le scalde pouvait raconter les victoires et la bravoure de son roi. En Irlande, en Écosse et au pays de Galles, il y avait aussi d'excellents conteurs, les bardes. Les jeunes hommes qui voulaient devenir bardes devaient apprendre toutes les grandes histoires de l'époque.

Un scalde

Des troubadours

Un barde

Au **Moyen Âge**, les troubadours et les ménestrels étaient les conteurs officiels. Ils allaient de château en château et racontaient des histoires, souvent en jouant de la musique.

Les bardes utilisaient la poésie pour raconter une histoire. Le barde le plus célèbre de tous les temps est sans doute William Shakespeare, barde de Avon. Shakespeare a vécu de 1564 à 1616, en Angleterre. Il a écrit au moins 37 pièces de théâtre et de nombreux poèmes.

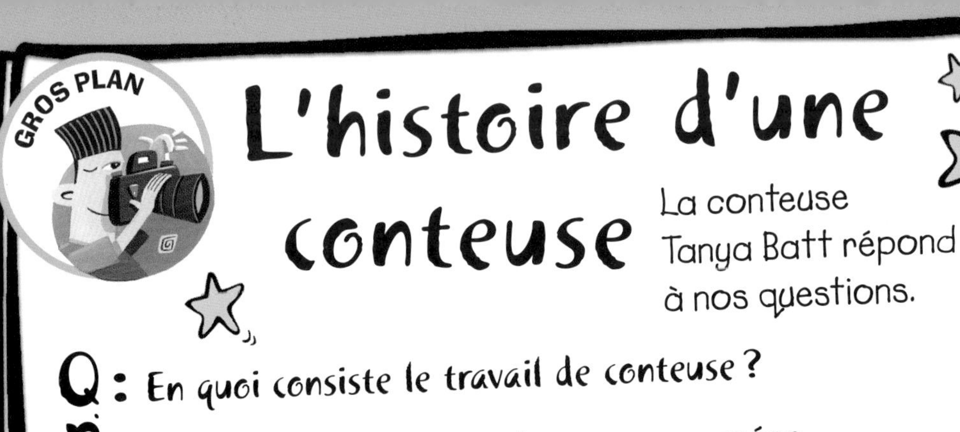

L'histoire d'une conteuse

La conteuse Tanya Batt répond à nos questions.

Q : En quoi consiste le travail de conteuse ?

R : Une conteuse doit écouter, amasser, créer et raconter des histoires. Je raconte mes histoires à des gens de tout âge, dans les écoles, les garderies, les librairies, les centres communautaires, les théâtres, les universités, les parcs, les hôpitaux et les musées. Je raconte des histoires parce que les histoires me passionnent.

Q : Ton répertoire est-il composé d'histoires que tu as inventées ou d'histoires que tu as entendues ?

R : Les deux. Certaines histoires viennent de livres ou m'ont été racontées ; les autres, je les ai inventées. J'aime aussi ajouter une petite touche personnelle à une histoire connue.

Raconter l'histoire de quelqu'un, c'est un peu comme emprunter ses vêtements ou manger à sa table. Je demande toujours la permission avant : c'est un geste de politesse élémentaire.

Q : Qu'aimes-tu le plus dans ton travail ?

R : J'adore faire une enquête sur une histoire.
J'aime lire et faire des recherches, et imaginer
qui a raconté l'histoire avant moi, à quel moment
et pourquoi. Les histoires ont le pouvoir de nous
faire voyager dans le temps et l'espace : on visite
des mondes fantastiques sans même quitter
notre fauteuil ! Avec notre imagination, on peut
aller partout.

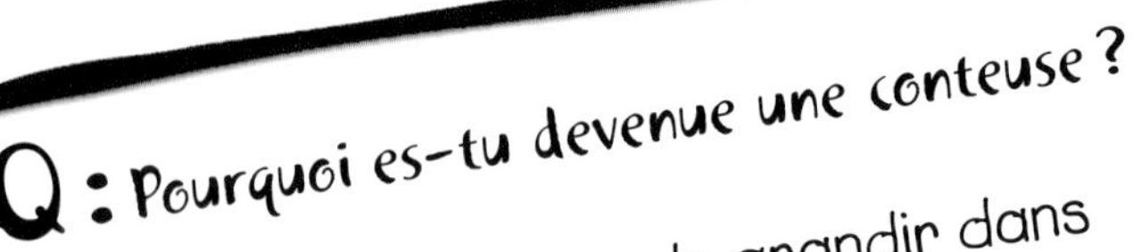

Q : Pourquoi es-tu devenue une conteuse ?

R : J'ai eu le bonheur de grandir dans
une famille où tout le monde adore
les histoires. Quand j'étais petite, on faisait
beaucoup de route en voiture. C'était long
et très ennuyant ! Pour passer le temps,
je racontais des histoires. Selon ma mère,
je pouvais parler pendant 800 kilomètres
sans m'arrêter !

Raconter des histoires, pour moi, est
la meilleure façon de jouer avec les mots,
de m'exprimer et de faire travailler
mon imagination. Mes histoires me
rappellent que notre monde est
rempli de mystère et de magie.

Q : Tu portes toujours des costumes fabuleux pour raconter une histoire. Est-ce toi qui les fais ?

R : À mes débuts, je fabriquais moi-même tous mes costumes. Maintenant, j'ai la chance d'avoir un ami designer très habile. Il fait tous mes costumes. Mais les conteurs ne portent pas tous des costumes. Moi, j'aime me déguiser. Je peux m'habiller en sirène, en fée, en reine, en princesse des Mille et Une Nuits, etc. Quand je me déguise, j'ai l'impression de faire partie de l'histoire.

Merveilleuses comptines

Les parents ont toujours raconté des histoires, chanté des chansons et murmuré des rimes sans queue ni tête à leurs enfants. Certaines de ces histoires sont vraies, et d'autres sont inventées. Autrefois, on disait que c'était les « contes de ma Mère l'Oie ». Personne ne sait trop qui était « ma Mère l'Oie », mais ses histoires bercent l'Occident depuis plus de 200 ans. Aujourd'hui, on les appelle **comptines.**

Miss Muffet

Miss Muffet était sans doute Patience Muffet, une petite fille née à la fin du 16e siècle. Son père était un scientifique renommé et étudiait les insectes. Mais on n'a jamais su si Patience avait vraiment peur des araignées !

Allez, allons,

Un chat joue
du violon.

La vache
danse
pour lui.

Le chien
s'amuse
aussi.

Et l'assiette
s'enfuit
Avec la cuillère
son amie.

Le croirais-tu ?
Les premières comptines n'ont pas été inventées pour les enfants ! Autrefois, les comptines étaient un bon moyen de répandre un potin ou une idée sans se faire attraper. En récitant une comptine, les gens pouvaient en parler contre une personne puissante sans avoir d'ennuis.

Certaines comptines étaient des versions courtes de chansons et d'histoires pour adultes. D'autres parlaient de personnes connues.

Marie, Marie, petite grincheuse

On pense que la grincheuse Marie de la comptine était **Marie, reine d'Écosse.** Elle n'était pas très populaire, et cette comptine était une façon de se moquer d'elle.

Le petit Jack Horner

Au 16e siècle, un jeune homme appelé Jack Horner a reçu la mission de livrer une tarte spéciale au roi d'Angleterre. Selon la légende, la tarte contenait les titres de propriété de 12 grandes maisons. En chemin, Jack a enfoncé son pouce dans la tarte et a trouvé… un précieux fruit : les titres de propriété de la plus grande des maisons. Jack a livré la tarte, mais a gardé la maison.

Les contes de fées

Les contes de fées font partie du **folklore.** Dans un conte de fées, les héros sont toujours des gens ordinaires ou des animaux, mais l'histoire est embellie avec un peu de magie. La plupart de ces histoires débutent par « Il était une fois… ». Souvent, certaines parties de l'histoire sont répétées plusieurs fois ; elles sont donc faciles à mémoriser.

Les contes de fées ne manquent pas de méchants personnages. Les plus populaires sont le géant, le lutin, la sorcière et le loup. Du côté des bons, les fées et les elfes finissent toujours par arranger les choses. Et la plupart des héros des contes de fées vivent heureux « jusqu'à la fin des temps » !

Le nombre trois est populaire dans les contes de fées.

L'histoire du Petit Chaperon rouge vient de France. Dans la version originale, l'histoire finissait quand le Petit Chaperon rouge était dévoré par le loup. Par la suite, quelqu'un a ajouté un bûcheron, qui sauve la vie du Petit Chaperon rouge et de sa grand-mère.

Visite le site www.dlcmcgrawhill.ca/enquete

pour en savoir plus sur les HISTOIRES.

LE PRINCE DU CONTE

Hans Christian Andersen
(1805–1875)

Un grand nombre des contes les plus célèbres du monde sont l'œuvre de Hans Christian Andersen. Cet auteur est né au Danemark en 1805 et a grandi dans une famille pauvre. Après ses études, Hans voulait devenir comédien, chanteur et danseur. Mais, comme il n'y avait pas beaucoup de travail, il a plutôt commencé à écrire.

Ses premiers livres et pièces de théâtre visaient un public adulte, mais les contes ont bientôt pris toute la place.

Hans Christian Andersen est mort en 1875, après avoir écrit 156 contes.

La princesse au petit pois

Relève le défi !
Dresse la liste des contes de Hans Christian Andersen. Pour ne rien oublier, fais une recherche à la bibliothèque ou dans Internet.

Glossaire

La lettre entre parenthèses t'indique si un mot est masculin (m) ou féminin (f). Quand un mot peut être masculin *ou* féminin, les deux lettres sont indiquées (m/f).

comptine (f) : une petite histoire rimée, parfois sans queue ni tête, mais agréable à réciter.

créature mythique (f) : dans un mythe ou une histoire, une créature imaginaire dotée de pouvoirs spéciaux. Dans une légende grecque bien connue, le héros Héraclès doit tuer un serpent mythique à cent têtes. La licorne, le dragon et le cheval ailé sont aussi des créatures mythiques.

fable (f) : une histoire très courte qui contient une morale. Dans une fable, les héros sont souvent des animaux qui parlent.

folklore (m) : les traditions, les croyances, les histoires transmises de génération en génération.

Marie, reine d'Écosse : elle a été reine de 1542 à 1587. La comptine *Marie, Marie la grincheuse,* parle du jardin de Marie. Les « cloches d'argent et les graines de nielles » étaient une allusion à l'une de ses robes. Les « jolies bonnes en rang serré » étaient sans doute une allusion aux quatre dames d'honneur qui s'occupaient de la reine.

Moyen Âge (m) : en Europe occidentale, une période qui débute à la fin de l'Antiquité (5e siècle) et finit au début de l'ère moderne (15e siècle).

poème épique (m) : un long poème qui raconte l'histoire de personnages héroïques.

Index

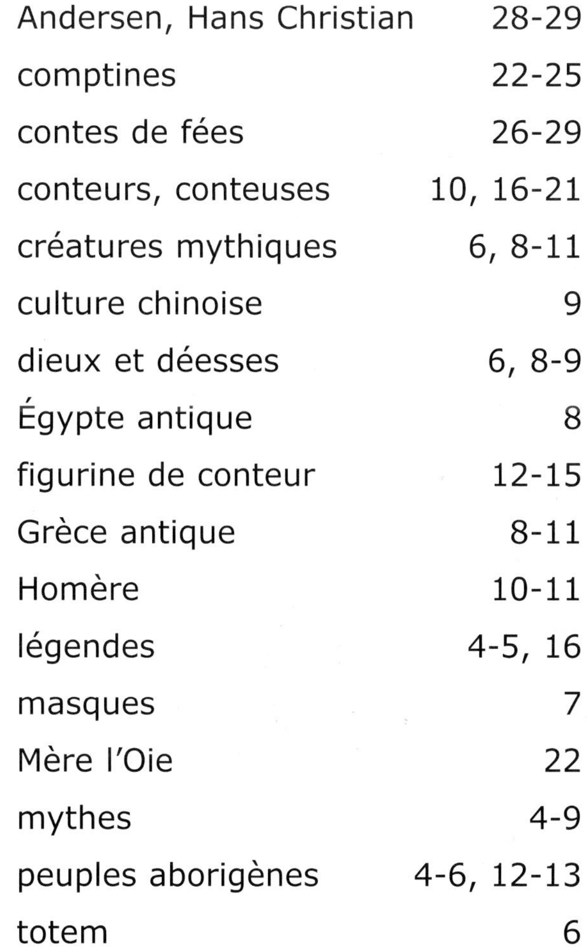

Andersen, Hans Christian	28-29
comptines	22-25
contes de fées	26-29
conteurs, conteuses	10, 16-21
créatures mythiques	6, 8-11
culture chinoise	9
dieux et déesses	6, 8-9
Égypte antique	8
figurine de conteur	12-15
Grèce antique	8-11
Homère	10-11
légendes	4-5, 16
masques	7
Mère l'Oie	22
mythes	4-9
peuples aborigènes	4-6, 12-13
totem	6

Parlons-en !

1 Dans certaines cultures, la sculpture et la tapisserie servent à raconter des histoires. D'autres cultures utilisent des figurines. Fais un remue-méninges pour trouver d'autres formes d'art qui ont permis de raconter des histoires. À ton avis, quelle forme d'art est la plus efficace ? Pourquoi ?

2 Certaines comptines racontent une histoire et d'autres n'ont ni queue ni tête. Choisis une comptine parmi tes préférées. Peux-tu en raconter l'histoire ? Sinon, invente une histoire pour raconter ta comptine.

3 On trouve des bons et des méchants dans tous les contes. Pourquoi les géants, les sorcières, les trolls et les loups ont-ils toujours le mauvais rôle ? Invente un conte où ces méchants sont gentils. Raconte ton histoire à tes camarades.